그 사람이 떠난 자리에서

사랑을 안다.

문영순 시집

그 사람이 떠난 자리에서 사랑을 안다.

발 행 | 2024년 06월 03일

저 자 | 문영순

펴낸이 | 한건희

펴낸곳 | 주식회사 부크크

출판사등록 | 2014.07.15.(제2014-16호)

주 소 | 서울특별시 금천구 가산디지털1로 119 SK트윈타워 A동 305호

전 화 | 1670-8316

이메일 | info@bookk.co.kr

ISBN | 979-11-410-8650-3

www.bookk.co.kr

그 사람이 떠난 자리에서

사랑을 안다.

문영순 시집

글을 시작하면서

그 사람이 나를 떠나고서야 나는 진정한 사랑이라는 것은 무엇일까를 생각했다. 사람은 사람이 원하는 최고의 이상적인 사랑을 할 수 없는 능력을 가지고 있다는 것을 알고서 그 사람을 미워하지 않기로 했다. 그럴 수밖에 없는 것이 모든 사람이라는 것을 깨달은 후에 나는 그 사람도 예외는 될 수 없음을 인정했다. 사람은 다 사람이 줄 수 없는 사랑을 원하고 있는 것이라서 사람에서는 만족이 없는 사랑이 올 수밖에 없는 것이었습니다. 우리는 다 부족하고 불완전하여서 불완전한 사랑이 최대한의 능력이라는 것이다. 사람의 사랑은 이기적인 사랑이라서 그럴 수 있다는 것을 인정하고 마음에 위로를 하나님으로부터 얻었습니다. 그분의 사랑이 모든 사람에게는 필요하다는 것을 알게 되었습니다.

저자 문영순

목차

■ 글을 시작하면서

1. 사랑은 책임져야 할 짐이다.   9

2. 잠이 오지 않는 밤   11

3. 사랑을 배우고 사랑했더라면   12

4. 사랑을 위해서라면 그래야지   13

5. 배신당한 후   14

6. 사랑은 포기를 모른다.   15

7. 사랑의 방식   16

8. 배신의 이유   17

9. 뜨거운 눈물   19

10. 사랑 안에 있는 미움   20

11. 내가 너를 사랑했던가.   22

12. 이만하면 너를 잊은 것이 아닌가.   24

13. 악한 사랑의 열매   26

14. 미련을 놓기까지   28

15. 잠깐 행복인가 했으나   30

16. 기다림은 내 생각을 믿은 것.   32

17. 흉물스러운 사랑의 끝   34

18. 기다리지 않게 되기까지   36

19. 썩은 동아줄을 놓기까지   38

20. 일도 아닌 것을   40

21. 말도 없이 갔다.   42

22. 상처만 남기고 갔다.   44

23. 이제는 쓴 약처럼   46

24. 아플 때 너는 없었다.   48

25. 남겨진 자   50

26. 너만, 그것만 아니었다면   52

27. 상처로 남겨진 네 이름   54

28. 너의 안 지킨 고백들   56

29. 몰라서 그랬다면 놓았다.   58

30. 붙잡고만 싶었었다.   60

31. 나는 가시나무   62

32. 사람의 사랑은 죽었다.   64

33. 이게 무슨 악연이란 말인가.   66

34. 미련을 못 버려서   68

35. 못 지킬 약속일지라도   70

36. 결국 너는 가더라.   72

37. 큰 울음을 울고   74

38. 혹시나 해서 기다렸지.   76

39. 끝까지 오지 않더라.   78

40. 지치도록 너를   80

41. 나를 사랑하여서   82

42. 나를 위한 선택이었다.   84

43. 나를 떠난 것은   86

44. 나 때문이기도 한데   88

45. 너는 말했지.   90

46. 꿈에서 너를 만난 아침   92

47. 그 사람이 오던 길은 비었다.   94

48. 너는 가고 네 물건은 나를 지킨다.   96

49. 선택에는 가시도 함께 온다.   98

50. 사람이 냉정하다.   100

51. 약속 때문에 울지 말자.   102

52. 신에게 맡겨 버리자.   104

53. 가면서 물었지.   106

54. 빈 약속은 공짜가 아니었다.   108

55. 또 기다리라고 했다.   110

56. 네가 버리고 간 말들   112

57. 너만 안 만났으면   114

58. 내 마음은 배신을 꿈꿨다.   116

59. 너만 떠나지 않았다면   118

60. 나를 위한 후회   120

61. 네 자리에 하나님이 오셨다.   122

62. 네 속에는 내가 없었다.   124

63. 가혹한 사랑이어라.   126

▣ 글을 마치면서

사랑하면 그 사람이 내게
그날부터 짐이 되어지는 것.

끝까지 책임지고 지고 가겠다는 약속을 한 것이라
죽는 날까지 그러기로 하는 것이 사랑이라서.

1. 사랑은 책임져야 할 짐이다.

사랑은 짐이다.
처음부터 사랑은 상대방을
끝까지 책임지기로 한 내 짐이었다.

그런데 이제 와서
그 짐을 지지 않겠다
무거워서 내가 싫다 하는 것이
헤어지자는 그 말이다.

하나님도 그 짐을 지려
그 사랑한 책임을 영원히 끝까지
지기로 한 약속을 지키시려 십자가에서
자기 아들 예수가 죽는 가치로 환산되지 않는
대가를 지불하여 자기의 모든 것을 다 걸으셨다.

사랑은 그 사랑하는 사람을 위하여
내가 목숨으로 짐을 지는 것.
이것이 싫어서 헤어지는 것이지
별다른 이유가 사랑에는 달리는 게 없는 것.

사랑하면 그 사람이 내게
그날부터 짐이 되어지는 것.
끝까지 책임지고 지고 가겠다는 약속을 한 것이라
죽는 날까지 그러기로 하는 것이 사랑이라서.

그 사람이 떠난 자리에서 사랑을 안다.

2. 잠이 오지 않는 밤

내가 어쩌다가 커서는 이리되었나, 싶어서
어쩌다가 저리되지 않고서는
이리되었나, 싶어서 잠이 안 오는 밤
눈물이 말없이 흐른다.

내가 이러려고 한 게 아닌데
그때에 웃고 떠들던 아이가 커서
어쩌다가 이리되었나, 생각을 하니
내 설움이 목까지 차올라서 잠을 잘 수가 없는 밤
눈물이 눈물이 내 눈의 눈물이 흐른다.

내가 어쩌다가 커서는 이리되었을까, 하니
어릴 때에 상처받았던 그 기억이 나서
이리되어 버린 내가 더 서러워져서는
잠이 오지 않는 밤에
눈물이 콧물이 되어 목으로 넘어가며 흘러서
어둠의 빈 동굴 위장 속으로 들어가 숨는 소리가 났다.

3. 사랑을 배우고 사랑했더라면

우리는 사랑을 말하지만
사랑이 뭔지를 제대로 가르치는 자 하나
못 만나서 못 배운 말로 사랑이라 말하다가
이것은 사랑이 아니라 헤어진다.

사랑이 뭐라고 명확히 배우고서
우리가 사랑한다고 말했다면
네가 그런다고 내가 미워했을까.
우리가 죽일 만큼 밉게 되어서 헤어졌을까.

사랑은 너를 위해 내가
죄 있는 너를 내가 용서하겠다고
죽어 주는 그 자리인 줄 가르치는 자를 만나서
내가 배우고서 시작한 일이라면

내가 이미 죽고서 시작한 일이라서
죽는 자가 어찌 너를 미워할 수
헤어진다고 말할 수가 있었으랴.

4. 사랑을 위해서라면 그래야지

사랑을 위해서
우리가 사랑이라고 말한다면
그 사랑에 무슨 문제가 있으리.

사랑을 위한다고
사랑을 위해서라 해 놓고서는
우리가 서로 다른 마음을 품으니
그 사랑에 먹물이 튀는 것이지.

사랑을 위해서 하는 사랑이라고
우리는 그런 사랑이라고 말했으면, 그리고
시작했으면 그 끝도 사랑으로만 달려가야지
아니 그러니 중간에서 오도 가도 못할 그쯤에서
어쩌라고 그러냐고, 나보고 죽으라고 그러냐고
악을 쓰는 사랑의 뒷면을 보는 것이지.

사랑을 위해서 사랑하기로 했으면
십자가의 그 예수처럼 죽기까지 그래야 사랑이지.
남자라면 그래야지, 여자라도 그래야지, 사람이라면
예수를 따라가야 그게 진짜 사람의 사랑이라시는데.

5. 배신당한 후

너만은 나를 배신하지 않으리라
그랬건만, 그가
가장 먼저 나를 버리고 떠날 줄을
혼자 남겨져서 나를 보고
세상의 감옥에서 생각을 한다.

그가 가장 나를 잘 안다고
나도 그를 가장 잘 안다 서로 자만하더니
그것에 내 눈과 가슴을 찔렸음을

우리가 인간인데 어디 완벽한
성한 구속이 있다고 너만은 아니 그럴 것이라
나만은 아니 그럴 것이라 그러고는
서로 믿는다며 의심치 않은 어둠에 잡힌다.

하나님은 너희는 의심할 가치 없는
배신의 신이라고 말씀하셨는데
십자가에 배신당한 예수를 못 보느냐
세상은 다 그를 버렸고 예수는 그들을 다 용서한
인간은 다 배신자요, 예수만 믿을 증거라시는데.

6. 사랑은 포기를 모른다.

사랑을 포기하는 것은
처음부터 사랑하지 않았던 것이다.
내가 너를 사랑하는 것처럼 위장한 마음
진짜는 나를 너보다 사랑한 마음으로
네 마음을 빼앗으려고 너에게 갔기 때문이지.

그래서 그 마음 내게 안 준다고
뜻대로 네가 안 움직였다
너에게 속으로 분노하는 것이다.
앞으로도 너로 인한 내게 돌아올 어떤 이익도
성취될 가능성 없는 손해만 날 것을 판단했기에
우리는 헤어지는 이별을 사랑하기로 한다.

진정한 사랑은 포기를 모르는 것.
끝까지 놓지 않는 일
십자가에서 그리스도 예수가 그 질긴 하나님의
인간을 향한 사랑 때문에 자기 목숨을
포기하기로 하신 결단, 그것이 처음 사랑을
지키는 완성인 내가 너를 사랑한다는 것이다.

7. 사랑의 방식

사랑은 내가 원하는 방식으로 하는 게 아니라
상대방이 나에게 요구하는 대로
내가 그의 뜻에 맞추어 주기로 날마다 결단하고
그 사람 앞으로 한 걸음씩 나아가는 것.

사랑한다 말하며
내가 원하는 방식으로 그를 사랑한다면
그는 내가 사랑한 만큼으로 죽어가며
그 사람이 완전히 죽을 때까지 내 사랑은
아직은 충분하다 말하지 않기로 한다.

사람은 내 사랑은 이미 병든 마음에서
이기적인 탐욕의 뿌리로부터 나온
웃고 있는 듯한 열매 못 맺는 싹임을 알아야
내 방식의 사랑하기를 그만두고 네가 원하는
사랑을 주기로 하는 사랑을 위한 지혜를 사랑한다.

8. 배신의 이유

배신은 아는 자가 한다.
아무 관계 없는 자가 등을 돌리고 가는 것은
그냥 맘대로 가는 것이지.

너는 내게 그러면 안 된다는
우리가 그래서는 절대 안 된다
그렇게 엮여져 있음을 말하는

배신은 내가 쏟아부은 것들이
그 사람 속에 있고
내 것이 손해가 났다는 심리의 작동이지.

그런 일은 어느 상황에서든 있는 이유는
아담과 하와가 뱀의 유혹으로
그들을 창조하여 그가 지은 모든 것들을
다스리라 위임한 하나님을 배신한
거기로부터 인간의 뿌리가 있기 때문이다.

스스로 하나님이 되어 그분의 것들을
완전히 먹어버리려고 했던 것처럼
하나님을 버리는 선택을 한 것같이

사람의 배신은 그런 것이다.

하나님은 그 배후의 불손한 동기에 대해
강력한 처방을 미리 내놓고 시작하셨고
그 처방에 따라서 적용하셨다.

사람은 그런 계약을 하지 않는다.
완전하신 하나님도 계약을 하고 시작하셨는데
불완전한 사람들이 서로를 믿고 무슨 일을
잘해 보자고 한다는 것 그 자체가
이미 배신하자는 것과 무엇이 같지 않은가.

배신은 그에 따른 대가가 따른다.
그들이 배신한 보상은 영과 육의 죽음
인간은 그래서 지금 그 상태로 태어나고

사람도 나름대로 배신자에게 벌을 준다.
때로는 하나님과 같은 심판자가 되어
그 육체의 죽음을 선언하고 죽이는 경우도 있고
사람은 여전히 하나님 흉내를 내며
생각하고 판결하며 살아가고 있는 모습을 보인다.

9. 뜨거운 눈물

살을 데일 만큼 뜨거운 눈물은
아무나의 눈에서는 나오지 않는다.
그 눈물샘은 그만한 기억 속의
눈물 나는 사연이 있어야 열려진다.

얼굴에 칼자국처럼 베이며
뜨겁게 피처럼 흐르는 그 눈의 슬픔은
그 눈물보다 더 많은 마음의 눈물 구덩이에서
아주 조금 표면적으로 드러나는 것뿐이다.

피와 같은 눈물은
말할 수 없어서
도저히 말로는 할 수가 없어서
그 마음이 그림으로 쓰는 글이다.

지독한 아픔과 슬픔은 말로 되는 것이 아니라서
속에서 마음이 그냥 울어버리기로 한
그 결과물로 눈물이 소리 없이 흐르는 것이지.
그 마음이 세상을 향하여 보이도록 공연하는 것
내 마음은 이렇단다 말하는 또 다른 표현.

10. 사랑 안에 있는 미움

사랑하는 사람도
미워하는 사람도
다 그 사람이다.
내 마음에 들어 있는 한 사람

사랑하는 사람 속에
미워하는 사람도 들어 있고
내 마음에 들어 있는 그 한 사람 안에
내 안에 그 둘이

사랑한다는 것은 다시
그 뒷면에 미워하겠다는 말도 같이
함께 주기로 하는 그 말
내가 그것을 내 안에서 발견되는 것을 보았다.

사랑하는 사람도
미워하는 사람도 한 사람
지독한 사랑도 극도의 미움도
내 마음에서 한 사람에게로 가고 있었다.

그러니 내 사랑이

그 사람이 떠난 자리에서 사랑을 안다.

사람의 사랑이 무엇이겠는가.
다 나를 위한 것.
그렇지 않고서야 왜 미움이 내게서 나서
그 사랑에게로 갈 수 있겠는가.

너를 향한 내 사랑은
미움도 같이 짝하여 가기로 한 것을
너는 볼 줄 알아야는데 네가 울 수밖에 없는 것은
그것을 못 깨닫고 나를 맞이한 너 때문에
너는 더 슬퍼지는 것이다.

11. 내가 너를 사랑했던가.

내가 너를 사랑했던가.
이제는 너무나 먼 것이 되어져서
아득한 옛일만 같다.

사랑했던 기억조차 희미해지는
겨울의 어떤 날에 내가
홀로 서 있는 그 어떤 한 나무를 보고서 기억했다.

내가 너를 사랑했던가, 하며
여러 가지 일들을 생각해 보니
올가을에 죽은 눈물 나는 우리 집 개의
웃는 얼굴도 떠올라서 아팠다.

그런데 말이지
내가 사랑했던 네 얼굴은
잘 떠오르지 않았지.
그리고 그리 그립지도 않았다는 일

그런데 개는 그리워졌지.
불쌍해서 마음이 먹먹해지며
좀 더 잘해 줬었으면 할 것을

그 후회가 내게로 와서 다시 아팠지.

내가 너를 사랑했던가.
아주 먼 기억처럼 저 안 보이는 곳에서
너는 있었지만 그 얼굴은 그립지가 않았다.
사람의 사랑이란 아픔과 상처였다.
그것들을 나는 잊고 지우고 싶었던 만큼
기억을 못하게 되어지는 것 같았다.

사랑했던 기억조차도 없어져 가는
저 먼 내 기억의 창고에서 너는 아직 있지만
그리고 현실에 또 너는 어느 곳에서 살고 있겠지만
나와는 상관없는 존재가 돼 있었다.

그래도 나는 이제 아프지 않고
너는 더욱더 나보다 그러겠지.
나보다 상처 나지 않았기에 그러겠지.
내가 이런데 너는 오죽하겠을까, 했다.

12. 이만하면 너를 잊은 것이 아닌가.

어떻게 내가 너를 잊을까 했다.
그때는 날마다 억울해서 네가 정말로
죽도록 잊혀지지가 않아서 괴로웠었지.

어떻게 하면 내 기억에서
나와 함께한 시간들을 지울 수 있을까, 하고
날마다 밤에 울부짖는 마음이었지만
그럴수록 더 내 가슴에 새겨지는 너였었다.

세월이 약이라고 했지만
그때는 그 세월이 하도 더디 가서
마치 죽은 것처럼 멈춰 선 정지선에
내가 너에 대한 기억을 가지고 죽은 것같이
꼭 그렇게만 내가 내게 보여졌었다.

어떻게 하면 내 모든 기억에서
너에 대한 오점이 지워질까, 했었고
정말 죽을 만큼 아팠지만, 사람은 그 아픔으로는
죽지 않는다는 것을 알고야 말았지.

내가 그때는 너를 잊는 법을 몰랐다.

너를 놓는 것이 잊는 것이었는데
내가 너를 억울해서 안 놓고 꽉 쥐고서
너를 잊어서 지우려고만 했으니
내가 얼마나 어리석었던가.

나는 하나님이 내 안을 채우시면서
그분의 말씀들이 너 대신 가득 채워지며
너를 내 안에서 몰아낼 수가 있었다.
그렇게 되기까지 많은 시간이 걸렸지만
너는 내 안에서 내 악을 건드리지 못하도록 되어졌지.

이제는 너는 너이고 나는 나이고
아픈 기억은 어쩔 수 없이 내게 있지만
그것 때문에 인생이 망가지는 일은 없으니
이만하면 내가 너를 잊은 것이 아닌가.
내가 너를 가슴의 기억에서 도려낸 것이 아닌가.

13. 악한 사랑의 열매

사랑한다고 와서
못 박을 줄이야,
그러려고는 오지 않았겠지.

은행을 줍는 손
가슴을 찌르고 있는 못
쪼그린 무릎이 아파서 일어난다.

그 손에 큰 대못이 들려졌었는데
덜컥 손을 잡아 놓고는
어쩌라고 지금 이러는가.

은행을 줍는 검버섯 난 손
마음은 거기로 가서 서성이고
줍는 손은 빨라지고 있었다.

은행나무 밑에서
인생이 이런 것이다, 하니
내 사랑은 악한 열매를 준 것이고
은행나무의 사랑은 선한 열매를 주네.

사랑도 필요 없고
미움도 쓸데없다고
눈물도 그치기로 한 열매
먹으면 아프지,
버릴 수밖에 어디다 쓰랴.

14. 미련을 놓기까지

미련을 놓기까지
진액이 마르고서야
그럴 수 있게 됨을 안다.

미련도 질긴 끈이라서
끊어 내는 데 시간이 걸리고
실랑이를 벌여야 한다.

너도 질기지만 나는 더 질겨야
끊을 수 있는 게 미련인 것을
놓여지고서는 알게 된다.

아무것도 아닌 것을
왜 그렇게 못 놓고서 그랬었을까.
줄을 빨리 잘라 낼 것을
미련스러웠다, 하는 날이 있다.

돌아오지도, 없었던 일로 되지도
그렇게 되지도 않을 것을 가지고
오래 미련을 떨다가 아프고 아파하다
시간을 기다림에 묻은 일

그때는 그게 최선인 줄 알고
그러고 있었던가.
가장 바보 같은 일을 충분히 하고서야
미련은 떨어져 나가도록 두는가.
그 줄이 썩어서 놓치게 되어지는가.

15. 잠깐 행복인가 했으나

나를 놓고
너를 잡고 있을 때
항상 만족이 없었지.

너를 놓고
나를 붙들고 있을 때도
만족은 나의 것이 아니었지.

너를 잡으면 만족할까, 해서
나를 놓고서 너를 잡은 날
잠깐 행복인가 했으나
곧 불행이 와서 끈을 잘랐다.

툭 하고 절벽 아래로 떨어져서
나만 붙들고 절망이라 하던 때
나도 나를 못 올리고
너도 나를 올려 주려 오지 않았다.

둘 다 놓고
다른 동아줄을 찾아야 했지.
끊어지지 않을 끊을 수 없는

그 줄이 뭘까, 거기서 그랬다.

다시 돌아가기로 했지.
예수님에게로 다시 가야겠다, 그랬어
유일한 만족이었던 기억으로 가서
영원한 행복이라 절벽 아래서 그랬다.

16. 기다림은 내 생각을 믿은 것.

기다렸다.
눈이 아프도록 마음이
돌이키고 올 것이라고 믿으며

그러나 그 믿음은
저녁이 오고 또 깊은 밤이 오고
새벽을 지나 다시 아침이 올 때

아프도록 떴다 감았던 눈이
다시 떠서 아침이구나, 할 때
부서진 생각의 파편들이 마음을 찢었다.

기다렸다.
그리고 다시 기다리고
그러던 마음이 아파져서 누울 때까지
딱 그 사람이 올 것이라 믿었다.

믿음은 내 것.
그의 바람은 아니었던 것.
믿음은 나에게로 돌아왔지만
그는 죽어서도 오지 않을 일

믿고 기다린다는
그것은 고독한 것과 싸우는 나의 전쟁
지치지 않으려 믿고 믿는 것.
그리고 있는 나를 믿은 것이었다.

17. 흉물스러운 사랑의 끝

기다리고 있으면서 미웠고
미워하며 다시 기다려지는 내가
포기가 안 되었던 것은
미안하다는 그 말이 필요했기 때문인데

끝끝내 보여지지 않았던 얼굴 하나는
지금도 생생해서 안 지워진다.
그대로 시간이 멈추어 선 채로

한 장의 낡은 사진으로
거기 그곳에 있는 검은 오점 하나
포기했지만 기억은 기억하고
나는 안 기다리지.

왜 내 안에 갇혀 너는
늙지도 못하고 그렇게 있는가.
사랑은 흉물스러운 흉상이 되었네.

마음이 떠난 사람은 빈 껍데기
포기하고 미워할 것도 없는 것.
내용 없는 빈 상자 같은 너를

기다리고 있었던 먼 기억들

칼처럼 베어 끊고 간 줄을
알고 나니 미움도 사라져 떠나
치워져 빈 길에 서 있는 인생 하나
그게 나였다는 것을 봤다.

18. 기다리지 않게 되기까지

기다리는 기대는 아는 것.
모르는 것을 기다릴 수는 없다.

그 아는 것이
기다려도 오지 않을 때
허무는 절망이 된다.

믿고 아는 것이
없어졌다는 떠남이란
간이 철렁하고 떨어진 것보다는
심장이 멎었다고 말한다.

네가 간 것은
나도 갔다는 것과 동일한
그런 기다림은 눈물이 아니라 핏물이다.

아는 것이 자기 안에서
기다리지 않게 되기까지
현실은 호흡을 멈추는 고통이요,
허무가 무엇인지를 혀끝으로 맛보는 시간이다.

그 아는 것이 가고
의지한 그것이 무너지면
사람은 두려운 아픔과 그리움이 된
나의 남겨짐을 만난다.

19. 썩은 동아줄을 놓기까지

미련이 왜 없겠어
한없이 미련에 끌려가다가
놓았던 기억들이 그물처럼 드리워진
내 속을 네가 몰라서 그런 것이지.

많았지
아주 미련 덩어리였지
그래도 더욱 어리석어지고서야
다 썩은 동아줄을 놓기로 했었다.

그 썩은 것도 아쉬웠어
좀 더 기다릴 것을 그랬나, 싶어져서
잠이 안 오더라.
무릎을 굽히고 허리를 둥글게 말아
이리저리 뒤척이고 있더라.

내가 그런 미련 덩어리였어
네가 몰라서 그런 말을 하는 것이야
한없이 미련을 떠는 게 나야
그래서 속상하지.

남들은 벌써 버렸어야 한다고들 하지만
나는 안 되는 걸 어떡해
많은 미련과 짙은 기억과 상처들
그것들을 보아야만 하는 내가 되어서
이제는 그 기억으로부터 도망치고 싶은 게
바로 나인 것을 네가 알까.

20. 일도 아닌 것을

일도 아닌 것을 가지고
그러고 나서 서먹서먹한 마음으로
너를 쳐다보니 부끄러웠지.

일도 아닌 것을
더 큰 일이 뒤에 붙어서 따라오는 게
인생이라는 사는 일인 것을 그랬다.

마음이 부끄러워하며 나를 보고
흔적 없이 지워 줄 수도 없는 네 마음에
낙서를 한 것 같아서 후회가 됐다.

일도 아닌 것을
그러지 말 것을 그랬다, 할 때
그쯤에서는 네가 떠난 후
그 말들은 내게로 돌이 되어 떨어지고 있지.

일도 아닌 것을 가지고서
왜 그랬을까, 차라리 잘된 일일까.
나도 낙서가 남겨졌으니 그럴까.
너는 내게 더 많은 낙서를 했으니 그럴까.

너는 참 안 맞았어
일도 아닌 것으로 그랬으니
너도 안 그랬다고는 말 못 하겠다.
사람은 다 자기 뜻에 따라가기에
나도 그런 사람 중 하나이지.

일도 아닌 것이었다고
많은 시간이 간 후에야
햇볕에 삭은 페인트가 담벼락에서
부슬부슬 떨어지듯 아픔이 삭아진 후에야
그것을 알게 되는 게 인생인가 했다.

아무것도 아닌 것들
일도 아닌 그것들이 왜 중요했을까.
목숨도 아닌 것을 가지고 어리석었지, 싶은
그 씁쓸한 입맛이 목구멍을 막는다.

21. 말도 없이 갔다.

말도 없이 갔다는 것이
그때는 그렇게도 아프더니
차라리 지금은 그것이 나았나 싶다.

말을 하지 않았으니
내게 남겨진 말들이 괴롭히는
그런 일은 발생하지 않고 있는 까닭이다.

말이라는 것은 두고두고 생각이 나기에
마지막 말을 안 남기고 간 것에
고마워해야 할 일이었는데
그때는 그렇게도 배신감을 느꼈었지.

화의 기운이 심장으로 들어와
분노의 매연을 내뿜는 매일의 삶은
말도 없이 그냥 가버렸다는 덫에 걸려
펄떡이는 생명의 죽음 같았는데

이제 와서 보니
남기고 간 말이 없어서
마음에 찌끼처럼 남는 잔상이 없어

깨끗할 수 있다는 것을 안다.

좋은 말이든 나쁜 말이든
떠나는 자의 마지막 말은
일방적으로 남겨지는 연인에게는
괴로움과 상처가 될 수 있는 것이라

차라리 말없이 가서
충격적으로 오지 않는 이별이
괘씸하고 아프지만, 미련을 덜 떨며
손을 털고 돌아설 수 있는 힘이 될 수도 있네.

22. 상처만 남기고 갔다.

그도 갔고
내 상처도 가고 있고
그러나 기억들은 내게 남아서
지금도 여전히 빤히 보고 있지.

그의 얼굴이 내 안에 있고
나의 아픔이 내 안에 있고
그러나 시간은 아주 멀리 와 있다.

다 간 것이지
기억들만 생각하며 아팠다고 할 뿐인
지나간 것들이라는 과거가 됐네.

남겨진 자리에서의 기다림
그때의 생생한 느낌들은 다 죽었다.
그저 그런 일이 있었다는 것만
기억으로부터 보고 받고 생각하는 나.

그가 갔을 때
내 아픔이 얼마나 컸던가.
그런데 아무것도 아니었다는 것을

지나간 시간은 깨닫게 하고 있지.

갈 사람이 간 것이고
잡을 수 있는 사람이었으면 안 갔겠지라고
그렇게 쉽게 그 기억에 답을 할 수 있는
여기까지 지나서 와 있는 나.

그도 갔고
그때의 나도 갔고
기억들만 뼈대처럼 세워져 앙상하게 남아 있네.

23. 이제는 쓴 약처럼

너를 만나서 좋았던 기억과
너를 만나서 상했던 기억이
모이고 모여서 진한 추억이 됐다.

고여서 엉겨진 쓴 약처럼
먹을 수 없는 기름 덩어리처럼
마음 한켠에 고인 네가 있다.

그때는 네가 내 눈물이었다고
그때는 내 아픔이 네가 되었다고
그러고는 버리고 떠났다고 했는데
그것만 남겨 주고 가버렸다고 그랬는데

그것이 진한 추억이 되었다.
아프지만 안 잊혀지는 기억이 되어
한 줄의 생각 속에 떠오르는 사람으로
너는 내 인생 속에 있었다.

너를 만나서 내가 망가졌다고
그때는 너를 만나게 된 것이 아팠었지.
그 기억이 고여서 인생이 될 줄을 몰랐지.

이제는 생각 속에서
너를 안 미워할 수도 있을 만큼
내가 인생을 알게 되었고
그런저런 일들이 모여서 사람이 되어지는
그 과정을 끊어서 버리고 성숙하려던
내 어설픈 어리석음을 지금은 본다.

24. 아플 때 너는 없었다.

내가 아플 때
그때 네가 있어서 좋았다고
말할 수 있었으면 좋았을 텐데

아무 도움이 안 되는구나,
사람이 혼자서 아파해야 되는구나,
그것을 알게 해 줬다.

너는 그랬다.
믿었지만 그 믿었던 가슴이
무너지고 찢어지고, 그리고 아팠다.

내 눈물이 흐르면서도
너를 향한 고마운 위로가 있었다고
기억할 수 있었으면 좋았을 것을

그 자리엔 혼자 남아서
아프다고 말하던 나만 있네.
너라고 부를 수 있는 누구도 그곳엔 없네.

인생이 그런다고 알았다.

아픈 것을 숨기고 가서 울어 줘야
좋다고 만나 주는 것이 사람이다.

나도 누군가에게는 그런 사람이지
그 사람이 아플 때 나는
그 자리에 없는 것이다.

다 혼자서 아프다가
마음으로 울다가 가는 가슴들
그 심장을 하나씩 안고서 산다.

25. 남겨진 자

너 떠나고
뒤에 남아서 내가
나를 생각하니 버려졌더라.

너는 놓아 준다고 그랬겠지.
그럴싸한 말로 너를 변명하며
네가 부족해서 떠나야 한다고 그랬을 것이다.

그러나 그것은 위선이었다.
내가 너 떠난 후에
비 온 뒤에 아스팔트 위에 들어붙은
쓸어도 쓸리지 않는 낙엽같이
곰곰이 너를 생각해 봤더니

그리고 잊기로 했다.
너 떠난 것이 아픔이지만
언젠가는 내가 잃어야 할 것을
조금 일찍 잃어야 했을 뿐이라고 말할
그날이 반드시 올 것이라 믿었다.

너 떠나고 나는

남겨지는 자의 마음을 알았다.
부족한 사람이 떠나는 것이 아니라
그 사람은 남겨지는 것이라는 것을

너는 놓아 준다고 했을지라도
내가 아니라고 느낀다면
그것은 버리고 떠난 것이 된다고
나는 남겨져서야 알게 되었다.

26. 너만, 그것만 아니었다면

저 사람 때문이라 한다.
하나님은 너 때문이라 하시는데
나는 저 사람 때문이라고만 하고 싶어진다.

그러면 괜찮아질 것인데
이보다는 내 형편이 나아질 것인데
착각하며 사람이 산다.

그 사람 없어져서
형편이 좋아진 사람이 있다던가.
그런 말 들어본 적 있다던가.

그것만 없으면 괜찮아진다면
그것만 있으면 되는 인생이라면
하나님은 자기 아들 예수 그리스도를
왜 십자가의 저주의 죽음에게 보내셨을까.

저 사람 때문도 아니고
그것만 없으면 되는 일도 아니고
그것만 있다면 괜찮아지는 것도 아니라시는데
나는 내 생각에 속고 싶어져.

저 사람이라고 하던
그 사람이 갔어도 나는 안 괜찮아졌다.
그럼에도 불구하고 다시 그 일 때문이라고
말하고 있는 나를 만나야 한다.

나 때문이라고 말씀하시는
하나님의 지적에 결코 굴복하기 싫은 내가
너만, 그것만 가리키고 싶어 한다.

27. 상처로 남겨진 네 이름

한동안 너를 기억하지 않았다.
잊혀진 얼굴과 이름으로
내 안에서 숨을 안 쉬는 사람으로
너는 있었다.

그만큼 내게 너는
이제는 중요하지 않은 존재가 되었다.
멀어져 간 너는 그런 이름으로
어떤 때만 생각되어지는 사람이다.

썩 기분이 안 좋은 때에
너는 강하게 각인 된 채로
내 안에 있다는 것을 알게 한다.
네가 어쩌다가 내게는 그런 사람으로
남겨져 있어야만 하는가 한다.

네 어머니에게는 너도
네 아버지에게는 너도
누구와도 비교할 수 없는 귀한 사람이었을 텐데
어쩌다가 내게는 네가 천대받는 이름으로
죽어 있는 사람처럼 되어지게 되었을까, 한다.

한동안 너를 기억하지 않았다가
문득 인생을 생각하는 날에
내 기억 속에서 지나간 과거로써
너는 있는 것을 내가 본다.

그만큼 내게 너는
이제는 전혀 중요하지 않은 존재가 되었다.
너도, 나도 슬픈 일이지만
우리는 잊고 다시 서야만 하는 것이지.
상처로 남겨진 네 이름이 아프다.

28. 너의 안 지킨 고백들

수많은 고백과 말과
그것들이 다 떠나고 난 후에
나는 그때서야 너를 생각했다.

너는 그 말과 고백들을
절대 완전하게는 지킬 수 없는
사람이라는 실제적인 사실을 말이다.

네 혀에서 떨어지는
달콤한 고백들은 항상 웃고 있었지.
나도 웃고 있었다.

그 무성한 여름날의 이파리들이
가을 열매를 맺어야 되는
그 가을에 낙엽처럼 다 떨어지고
너 없는 곳에서 그 고백들은 쓰레기가 되었다.

수많은 고백을 말지 그랬냐.
혀에서 구르는 말을 내지 말지 그랬냐.
안 지킬 것이라고 믿도록 하지 그랬냐.

그래도 속았다고는 믿고 싶지 않아
그때는 함께 많이 웃었으니까.
나쁘다고 말해서 내게 유익이 없고
떠났으니 떠난 대로 두기로 했다.

고백은 남았고
말들도 부분적으로는 아직 있지만
너는 완전히 갔지.
나 안 보이는 곳에서 살고는 있겠지만.

29. 몰라서 그랬다면 놓았다.

나도 너를 몰랐고
너도 나를 몰랐다.
우리가 서로 사람의 속성을 몰랐었다.

사람이 자기가 한 말은
꼭 지킬 수 있다고만 믿었지.
너도 그랬으니까 그렇게 말했고
나도 그랬으니까 믿었던 것이고

우리가 서로 사람에 대하여
나와 나의 보여지는 부분이 아니라
안 보여지지만 존재하는 실제인
사람의 본질을 알았더라면
그렇게까지는 믿지 않고 웃을 수 있었을 것을

몰라서 그랬다고
나쁜 사람은 아닌데 그랬다고
너를 향해 내가 잊혀지고 싶다.

그러면 좀 나을까, 싶어서
나를 위로하여 다시 일어서기 위하여

그럴 수밖에 없는 한 인간으로 너를
하나님이 말씀하신 사람의 내면 상태로
서로를 위로하여 지우기로 한다.

나도 너를 몰라서 그랬고
너도 나를 몰라서 그랬다고
사람인 우리가 다 실수할 수밖에는 없는
인간의 한계에 부딪힌 것이라고
너를 더 이상 마음에서 묶지 않기로 했다.

30. 붙잡고만 싶었었다.

붙잡고 싶었었지.
정말로 그 이름을 못 놓아서
내가 녹아지는 눈물이 있었지.

아픔이라고 해야 하나
미련이라고 해야 하나
그때는 왜 그렇게도 못 놓아서
매달려 있어야만 했었을까.

그 시간들이 다 가버리고
붙잡고 싶었었던 그것들도
내 인생에서 희미해진 오늘
부질없는 것들이 대부분임을 안다.

그것들을 붙잡으면 어떻고
놓치면 또 어떻다고 그랬을까.
그때는 꼭 그래야만 살 것 같아서 그랬는데
다 놓았어도 살아 있는 것을 본다.

아픔이라고 했었다.
고통이라고 했었다.

나의 비극이라고 말하고 싶었었는데
와서 여기서 그때를 보니
또한 그것도 아니었다 한다.

이제는 진정한 슬픔이 무엇이고
반드시 붙잡아야 할 것이 무엇인지를
정말로 알아졌으니, 그때 못 붙들었던 일들도
다 미련 둘 것이 아니라 한다.

31. 나는 가시나무

나는 가시나무
나는 그 가시나무
심지어는 나도 찔러서 피 흘리게 하는
무서운 가시나무

네가 사랑한 결과가
나를 가시나무로 만들었다.
잘못된 사랑은 가시를 만들었다.
피가 나도 멈출 수 없는 잔인한 공격이
가시의 날을 더욱 세우게 한다.

나는 가시나무
잔인한 가시나무다.
사랑한다던 그 사랑을 찔러서
피가 나도록 죽이는 가시나무다.

그러길래 그러지 말지 그랬어
무서운 가시나무의 속성을 가진 나였는데
왜 그래서 나를 비참하게 했어
안 그랬으면 됐잖아.

나는 가시나무다.
나도 그 가시가 싫어서 뽑고 싶지만
깊이깊이 뿌리가 박힌지라
쉽지가 않아서 혼자 눈물이 나네.

그때와 같이 홀로 또다시 처참해지며
무서운 가시를 뽑고 있는 중이다.
가시 없는 나무로 한 번쯤은 살다가
죽고 싶어져서 멈출 수 없는 눈물이 난다.

32. 사람의 사랑은 죽었다.

사랑한다더니
그러더니
갔다.

언제는 영원히
그리고 끝까지 지키겠다더니
말도 없이 안 왔다.

그 사람은 그러겠지라고
믿었더니
지킬 수 없는 약속이었던가.

사람의 사랑은 죽었다.
처음부터 죽었었는데
이번만은 아니라고 했던 것에 속았다.

미움을 보내보지만
내게로 다시 돌아올 뿐
아무런 의미가 없었던 미리 알던 결과

가버린 뒤에다가

그러면 또 무엇 하겠는가, 싶다가도
그동안의 일을 생각하니
더욱 미워지는 것을 어떡할까.

죽음까지 지키고서야
자기도 죽을 것이라더니
아직 살아 있는 나를 두고
그냥 가버리고 말았다니
차라리 말이라도 말지 그랬어.

33. 이게 무슨 악연이란 말인가.

살아서 오늘 너를 본다는 것은
분명 서로에게 축복이어야 하는데
원수 같은 마음으로 너를 보고 있으니
이게 무슨 악연이란 말인가.

가장 가깝게 살자고
우리가 함께 그럴 수 있을 것이라고
믿고 믿었던 약속들이
이렇게 악한 말로 서로를 공격할 줄이야.

그때는 그 마음이
은둔의 골짜기에 숨어서
그 날카로운 이를 드러내지 않았다.
살아서 너를 보는 행복만 말했었다.

우리는 꼭 그럴 줄 알았다.
원수가 되어 죽일 것처럼 이를 가는
이런 날이 올 것을 몰랐었지
약속들은 찬란하기만 하였었기에.

분명 우리가 살아서

여기서 만난 것은 축복이지만
우리 사이에 원수 된 마음이 있었다.
그 마음이 있었다.

그때는 그 마음이
삼키는 입을 다물고 있었지
물어뜯는 송곳니도 숨기고 있었지
이게 무슨 인생에 악연이란 말인가.

34. 미련을 못 버려서

미련을 떨다가
그것도 놓치고
저것도 놓치고

많은 것들을 잃은 뒤에도
미련을 못 버려서
끌려다니고 있는 나를 본다.

사람이 뭐길래
그렇게 미련을 두고 그랬을까.
내게 미련 두지 않는 사람이
내게 뭐길래.

많은 것들을 잃고서
미련스러웠던 나를 보면서
사람에 대한 부질없는 기대는
진정 부질없다는 것만 확인한다.

사라람 뭐라고
그렇게 이제나저제나 하면서
기다리고 기다려 주다가

나만 휴지 조각처럼 구겨져서 버려졌는가.

미련을 떨다가 내가 겪은
잃은 것에 대한 후회는
말로는 설명이 안 되는 그런 것들이었다.
왜 먼저 못 버렸을까.

35. 못 지킬 약속일지라도

어떤 일이 있어도
너는 내가 지켜 주겠다는
그 약속을 들으면 사람이
누가 미동도 하지 않을 마음이 있을까.

빈말인지 알면서도 순종을 약속한다.
꼭 그렇게 해 줄 것이라 믿어진다.
그 말은 닿는 가슴마다에 문을 열어 놓는다.

어떤 일이 있어도
내가 너를 지키겠다는
그 말은 듣고 싶은 말 중의 말이라서
헛된 말이라도 그래 줬으면 바라는 말이다.

그러나 그 말은
하나님이 하신 말씀을 흉내 내는 것.
하나님의 그 약속을 헛것이라 멸시하면서도
사람은 사람의 말을 붙잡기 원하는 것.

저도 죽는 인생인데
창조된 존재인데 창조자처럼 말을 한다.

어떤 일이 있어도
무엇으로 어떻게 지켜 줄 수 있겠는가.

아무것도 가진 것 없는 빈집에서
무엇을 내가 팔아서 지킬 것인가.
생명도 자기 것이 아니라 빼앗기는데
무엇으로 자기의 약속을 나에게 지킬 수 있다고
사람은 그 말을 하나님의 말보다
더 믿고 의지하다가 배신을 당하는가.

36. 결국 너는 가더라.

네가 그만큼 했더니
너는 그만큼 하지 않더니
결국 너는 가더라.

너 가버리고 나서
나는 내가 그만큼 했더니
그랬다고, 그랬다고 후회가 되어서
밤에도 낮에도 마음이 방황을 하였다.

내가 그만큼 했으면
적어도 너는 어느 만큼은 해야 상식인 것을
그때는 사랑한다는 네 말에
그럴 수 있다고도 생각할 줄 몰랐지.

네가 갈 줄을
내가 어떻게 알았겠냐.
믿을 수밖에 없도록 가면을 쓴
네 마음을 어떻게 알았겠니.

처음부터 너도
그러려고 그러지는 않았을 것이라고

나 스스로를 일으켜 세워도 보고
나는 그만큼 했으면 됐다고 했지.

마음은 아팠지만
그만큼 해서 보냈다고 했다.
더 잘해 줄 것을 하는 후회가 없는
이게 더 아프지 않은 것이라고 너를 잊기로 했다.

37. 큰 울음을 울고

한 번 크게 울었던 가슴은
그보다 작은 것들은
그냥 가슴속으로 들어와서
쉴 수 있게 되더라.

큰 슬픔은
다른 모든 작은 슬픔들을
담는 그릇이 되더라.

물이 흘러서 강으로 바다로 가듯이
작은 물들은 요란하게 흘러서
넓은 곳으로 가서 고요해지듯이 그러더라.

폭풍처럼 와서 억장을 무너뜨리고 간
슬픔을 만나고 나니
세상의 일들이 다 가볍게 보이면서
나를 찾아야겠다는 마음이 생기더라.

큰 울음을 울고
그 슬픔을 건너서 온 나는
그 모습, 그 사람이지만 다른 사람이 되어

삶을 바라보고 있게 되더라.

하나님만이 인생의 답이라고
말끝마다 그렇게 말해지고
소망을 하나님께 두기로 마음이
더욱 견고히 세워지기만 하고

인생의 폭풍이 크게 몇 번을 지나가고야
나는 하나님만이 내 인생이라고
목숨을 그 이름에 걸게 되더라.

38. 혹시나 해서 기다렸지.

기다렸지.
혹시나 다시 올까, 해서
속으로는 사실 기다렸었다.

오늘도 안 오더라.
내일이 와도 안 오더라.
겉으로는 내색하지 않았지만
속으로는 애타게 기다렸었다.

기다렸지.
그래도 혹시나 해서
이제나저제나 올까, 해서 그랬었다.

마음이 풀리면
그래도 정이 남아서 이어질 줄 알고는
기다렸었다. 기다렸었다.

안 오더라.
어제도 안 왔었고
오늘도 안 왔고
내일도 안 오더라.

너는 그랬다.
너는 그랬었다. 나에게
그랬었다. 너는 나에게 그랬었다.

그러지 말지
한마디도 없이 그러지 말지
그랬으면 내가 안 기다렸지.
기다린 마음이 허무해져서 하나님께로 갔다.

39. 끝까지 오지 않더라.

그달이 와도
너는 안 돌아왔다.
그달이 내게로 몇 번을 다시 왔어도
너는 아무런 말도 없었다.

네 목소리도 안 왔고
네 실체도 안 왔다.
그렇게 달도 해도 갔다.

살고 있지만
오지는 않았다.
나도 그랬다.
아픔이 컸기에 다시 상처가 날까, 해서
그냥 기다리고 있었다.

이제는 그게 몇 월 달이었는지도
잊혀져서 정말 손에 안 잡히게
기억에서 멀어져 갔다.

너는 내게서 그렇게 갔고
나는 남아서 하나님께로 그렇게 돌아갔다.

사람에게 돌아가던 마음을 붙잡아서
주인인 창조주에게 되돌리는 올바른 길에
나는 다시 설 수 있었다.

작은 것을 잃고 고통당하다가
사람에게 맞은 비수의 상처를 안고
그 피 흘림을 가지고서는 나는 그대로
못난 내 모습 그대로 하나님께 치유를 의탁하며
쓰러져서 눈물로 호소하게 되어졌다.

40. 지치도록 너를

기다렸다.
너를 많이도 그랬었다.
아주 많이도 기다렸었다.
너무 많이 그래서 내가 나보고 지쳤었다.

기다렸다.
별처럼 많이
그 별들이 셀 수 없는
하늘의 은하수 강이 될 때까지 그랬었다.

지치고 지치도록
내가 나에게 지쳐서
내가 저 멀리 떨어져 누울 때까지
너를 기다렸었다.

기다리지 말 것을 하는
그 생각은 한 번도 하지 않는다.
충분히 기다렸기에 후회가 없어서 그런가 보다.

캄캄한 밤에 별처럼 떠서
마음이 그렇게 눈이 빠지도록

기다리고 기다리고 또 기다렸었다.

어느 날 그 별들을
다 쓰러뜨려서 지우는
큰 해가 내 마음속으로 떠올라 왔을 때에
나는 그 기다림에서 놓여나게 됐었다.

그때 나는 아주 많이 기다렸었지
아주아주 많이많이 그랬었지
지쳐서 별이 하늘에서 다 죽는 날까지
해가 와서 다 정복하는 그날까지 그랬었다.

41. 나를 사랑하여서

포기하지 못하는 것은
너 때문이 아니라
나 때문이지.
나 때문에 너를 못 놓는 것.

나를 포기하지 못해서
몸부림치고 있는 것을
너는 볼 수 있어야 한다.

너를 사랑하여서 그런다고
착각하지 마라.
나를 사랑하여서 내가
너를 붙잡으려는 이기심인 것을

사람은 나를 사랑하는
그것을 절대 포기할 수 없는
중한 병에 중독되어 있다.

그것을 놓으면 죽는 것을
사람이 어떻게 포기할까.
그래서 너는 포기해도 나는 포기 못 한다.

너 때문에
나는 너를 사랑하는 게 아니라
나를 포기할 수 없어서 그러는 것.

너도 그러는 것이지.
너 때문에 그러는 것이지.
우리가 서로 착각하면 안 된다.

42. 나를 위한 선택이었다.

너를 위한다는 것이
나 때문이었다고 해야
솔직한 내 마음이다.

사람이 어떻게 너 때문에
너를 선택할 수 있겠냐.
사람은 그럴 수 있는 그릇이 못 되는데

나를 위한다는 것도 나 때문이고
너를 위한다는 것도 나 때문이어서
그렇게 할 수밖에 없었다고
그래야 옳다.

사람이 너를 위하여서
무엇인가 할 수 있는 위인이 못 된다.
다 자기 자신 때문에 그러는 것이지.

너를 위한다는 것은
허울 좋은 말일 뿐
진실은 다 나를 위한다는 것이다.

사람이 너 때문에
너를 선택할 수 있었다면
나 때문에 네가 떠나지는 않는다.

네가 생각하니
다 나 때문에 너를 택한
내 검은 속을 보았기에
너도 너를 위한다고 가버리는 것이지.

43. 나를 떠난 것은

네가 나를 떠난 것은
서운함이 사무쳐서 그랬었겠지.
그랬었겠지라고 생각은 했다.

그러지 않았다면 네가 나에게
절대 그럴 일이 없었을 것이라고
그래도 너를 믿었기 때문이지.

만약에 그러지 않았다고 하면
내가 얼마나 힘들었겠냐.
너보다 나는 더 많이 서운했었으니까.

사람이 사람을 버린다는 것은
마음이 떠나는 것이겠지만, 그 몸이
안 보이는 충격은 더 크게 느껴지는 것이고

너는 서운한 것들 때문이라고 할 수도 있겠지.
나는 그렇게 생각하기로 했다.
피 흘리며 아팠어도 이 자리를 지키다
당하기만 하고 남아 있는 나는
너를 그랬었을 것이라고 믿기로 했다.

그러지 않는다고
너를 비난한다고 뭐가 달라질까, 해서
그냥 그래서 좋게 생각해 주기로 한 것.

사람이 마음이 떠나면 몸이 가버리는 것이라
그 입술의 말도 허무해지고
남겨진 말들은 기억 속에서 오래오래
괴로운 동반자가 되어지는 것이지.

44. 나 때문이기도 한데

너 때문이 아니라
나 때문이라고 말해야 되는데
그러면 내가 너무 초라해질 것 같아서
나는 나에게 너 때문에 내가
이렇게 되었다고 세뇌시키고 있다.

너 때문인 것도 있지만
나 때문인 것도 있는 것이 사실인데
나는 그 사실들을 감추고는
아니라고 자꾸만 말하고 싶어진다.

너 때문이라 하면
조금은 내가 위로가 되어서
그냥 내 마음에 내가 스스로
괜찮아지는 느낌이 들기에

내가 살기 위해서
여기서 더는 절망하기 싫어서
내가 잘못한 것들은 말하고 싶지 않아
내가 나에게 그렇게 말하고 싶지가 않다.

너 때문이 아니라
나 때문에 이렇게 된 것이라고
내게 세뇌시켜서 마지막 남은 삶에 대한
작은 불씨를 끄고 싶지는 않다.

너 때문이라고 말해서
마음에 숨통을 만들어 거기다 대고
숨을 내뿜으며 나머지 삶을
잘 마무리하고 싶어지기 때문이다.

45. 너는 말했지.

너는 말했지.
내 약점이 홀릴 만한 말로
그렇게 너는 점점 더 가까이 다가왔지.

그래서 꼭 너는
그런 아픔을 안 주리라고 믿었고
그 믿음은 오래가리라 생각했었지.

나는 사실상 끌려다니고 있었다.
너에게가 아니라 내 약점에게 말이다.
왜냐하면 보상받고 싶었으니까.

그러나 너는 어쩌면
나에게서 너의 약점을 만회하기 위해서
그런 말로 내게 왔었는지도 몰라.

너는 더 큰 아픔을 남기고 갔지.
너도 생각했겠지.
어쩌면 너도 나에게서 더 큰 상처가 나서
더 이상 참을 수 없어서 떠나기로 했을지도 모르겠고

너는 내게로 달콤한 말로 와서
잠시 잠깐 내 아픈 마음이 위로를 받게 했어.
그래서 그 후에 더 큰 아픔이 남겨질 것은
그때에 절대 생각할 수 없었지.

내가 너를 나의 위로라고 믿었던 만큼
큰 불행이었다고 말하고 있다.
인생에서 가장 큰 실수요, 오점이라고
나는 내게 말하며 후회하고 있으니까.

46. 꿈에서 너를 만난 아침

너를 잊었다고 생각했는데
너는 내 꿈속에 있었나 보다.
어젯밤에는 꿈에 네가 있었다.
그렇게 나쁘지 않게

내가 너를 꿈에서 만나고도
아침에 눈을 떴을 때
기분 나쁘지 않은 것은 그만큼
무덤덤해진 것이라 생각이 든다.

이렇게까지 나는 잊었다.
아픈 상처가 그만큼까지 아물어졌다는 증거.
너는 내 꿈에 왜 왔을까.
보고 싶어 한 적이 전혀 없었는데

너를 잊었다고도 생각하지 않고서
나는 살고 있었는데
너는 어젯밤에 내 꿈속에 와서
네가 살아 있다는 것을 보여줬다.

그게 나하고 아무런 상관이 없다고

생각하면서 살기로 했는데
잊고 싶었었던 날들도 많았었기에
더 이상 기억할 수 없었으면 했었던 때도
내게는 있었는데

꿈에서 너를 보고도 나는 꿈에서도 그랬고
아침에 눈을 떠서도 아무렇지가 않았다.
그만큼 너는 내 아픈 마음에서
지워지고 있었던 것이었다고 내가 안 것이다.

47. 그 사람이 오던 길은 비었다.

사랑한다고 했다.
그 얼굴로 그랬고
또 그 얼굴로 말했다.
사랑하지 않는다고 그랬다.

그 입으로 말하고
그 입으로 말하고는
목소리는 유유히 사라져서 갔고
오지 않는 길은 비어 있다.

사랑한다더니 그 얼굴로
어떻게 또 그 얼굴로 그럴까.
하지만 그런 일은 일어났고
바람은 오지 않는 길을 쓸고 있다.

빈 길을 바라본다.
빈 마음으로 그럴 수 없어서
그 오던 길이 미운 것이다.

그 입술로 말하고
또 그 입술로 말하고는

그 사람이 달려오던 길은 비어서
저 나그네들이 휙휙 지나다니고

사랑한다더니 이럴 수 있을까.
그러나 그럴 수 있는 것이 사람의 사랑인 것을
내가 알지 못했을 뿐인 것을 안다.
빈 길을 보며 마음이 휑하니 서서.

48. 너는 가고 네 물건은 나를 지킨다.

네가 준 것들은 있는데
너는 없는 이 현실은
어떻게 말을 해야 아프지 않을까.

저것들은 다 없어져도
너는 내 곁에 영원하리라 말했는데
너는 가고 저것들은 영원하리라 한다.

그때는 믿었다
믿지 말라고 했을지라도 믿겨지게
너는 말했기 때문이라.

네가 놓고 떠난 것들은
아마도 나보다 더 오래 자리를 지킬 것.
너보다 저것들이 더 나를 안 떠날
운명이라는 것에 눈을 떴어야 했다.

사물과 사람에 대한 이해가
그때는 내게 없었던 것이다.
빈집과 사람과 같은 차이
거기까지 이르지 못하고 있었다.

너는 거짓을 진실처럼 말해도
네가 들고 온 그것들은 그러지 않는다는 것을
그때에 알았어야 했다.
변하는 것이 사람의 본성임을 놓쳤다.

다 버리고 간 너의 자리에서
저것들은 너보다 진실하다.
내게로 한 번 온 내 것으로 끝까지 있으니,
너는 내 것이 아니라 네 것이었을 뿐이다.

49. 선택에는 가시도 함께 온다.

너의 잘남 때문에
너를 사랑하게 되었지만
그것이 나에게 올무가 될 줄을 몰랐지.

너의 못남 때문에
불쌍해서 너를 사랑하기로 한 그것이
내게 가시가 될 줄도 몰랐고

사는 것은 그런 것 때문에
사람을 선택하는 것은 아니었어
그러면 절대로 안 되는 것이었어.

괴로운 날에 내가
너를 사랑하기로 한 그 기억을 한다.
어리석다고 생각한 흔적이 없는
순수한 너와 나를 본다.

잘난 것도 싫어졌고
못난 것도 동정이 가지 않는
이 시점에서 나는 너를 본다.

그냥 너는 너이고
나는 나이고 한, 그 사람을
그때 볼 수 있었어야 했는데
그러지를 못했었지. 나는

세월의 흔적들이 너와 나를 뒤덮은 지금
너와 나는 그저 부족한 사람일 뿐
그 무엇도 할 것 같지 않은
무능력한 사람이었음을 보기만 한다.

50. 사람이 냉정하다.

내 눈의 눈물을 보았을 텐데
너는 그것을 보고도 아무렇지도 않아 했지.
네 눈의 눈물이 아니었으니까 그랬다, 싶음

내 눈에서 나는 것은 그냥 물이요,
네 눈에서 나는 것은 피눈물이라
그렇게 네 마음이 읽었으니까 그랬겠으니,

사람이 냉정하다, 냉정하다.
마음속에서 너를 향한 내가
다시 눈물을 뜨겁게 흘리는 날에
밖에는 비가 내리고 있었다.

사람이 그런 것인 것을
왜 나는, 너는 아니라고 믿었을까.
너도 사람 중의 사람이었는데

내 눈에서 여러 번 너는 눈물을 보았고
아무 말도 하지 않고 갔다.
내게 남은 너의 약속은 남아서
너를 원망하기도 지쳐서 죽었다. 이제

그 약속들이 내 안에서 죽고서
원망 없이 나를 생각하게 되었지.
내 눈물도 하나님께로 가서 소망을 얻고
지금은 그분의 약속으로 다시 채워서
네 약속들의 죽은 자리에 나게 했으니
괜찮다 괜찮다, 하며 울었다.

51. 약속 때문에 울지 말자.

약속 때문에 울지 말자.
너의 약속은 처음부터 못 지킬 것이었다고
결정하고 지나가자.

너는 사람이잖아,
약속을 지키는 능력은 하나님이시고
너는 그 유일한 신의 창조물이지.

그런데 왜 널 믿었어
믿은 내가 하나님을 생각하지 않은 것이지
그때 너만 보고 있었던 것이잖아,

나도 사람, 너도 사람
서로가 하나님의 창조물로 약속을 흉내 내다가
무능력의 실체가 탄로 났을 뿐
그뿐인 것이야.

못 지킬 것이니까 증인을 세우고
안 지키는 자가 죽기로 되었던
고대 언약의 관습들을 생각했어야지.

너는 안 지켰고, 살아 있는데
죽이라고 하는 나도 아닌 것은
못 지킬 것을 다 안 것이다.

진실이 진실이지
약속의 말이 진실은 아니다.
말은 누가 못 할까.
마음이 있었으면 안 그랬을 것이라며 놓자.

52. 신에게 맡겨 버리자.

의지했던 네가
믿었었던 네가 나를 배신했어
그랬어, 그랬어.

그랬다고, 정말 그랬다고
가만두지 않고 싶어
가만두나 보자, 그래

힘이 없는 내가 그러지
어디 너 잘 사나 보자,
그래, 잘 산다고, 그런다고

도둑맞은 내 인생으로 그런다고
나는 이런데 저는 그런다고
쫓아가자 쫓아가자.

아휴, 그러지 말자.
도둑놈의 인생을 만나서 무얼 해
더러워서 참고, 자기를 만든 신에게 맡기자.
그래 버리자.

매끄러웠던 말처럼 빠져나갔지.
기댄 줄 알면서 치워졌지.
믿는 도끼에 발등 찍힌 것보다
더한 것은 무엇인가 모르겠어.

의지했던 네가 그랬다고
그리고 가서도 또 잘 산다고
신에게 맡기자, 그래 버리자.
손대면 나만 더러워지니까 그러자 한다.

53. 가면서 물었지.

걸었다.
마음과 함께 갔다.

가면서 물었지.
너는 어떠냐고

한참을 말하지 않았지.
그리고 마음은 내게 물었다.
너는 어떠냐고

또 뒤를 이어서 어렵게
소리 나지 않는 입술을 뗐다.
너만 괜찮으면 된다고

나는 말할 수 없었다.
마음이 나를 보고 울었지.

그 선물을 받고서
두 눈은 눈물로 잘 받았다고 말했지.
그러면서 우리는 둘이서 걸어 왔다.

지금부터는 울지 말라고
마음이 내게 말하면서 그랬지.
사랑이 간 것이 아니라 사람이 떠난 것이라고

마음이 없어졌으니 사람이 갔고
진짜 사랑은 영원히 갈 수가 없는 것이야.
하나님의 사랑이 그렇잖아.

괜찮아, 사람을 알고 사랑을 알고
영원한 사랑, 그 좋은 선택을 했잖아.
우리는 둘이 더 괜찮아졌다. 그렇지.

54. 빈 약속은 공짜가 아니었다.

약속은 비었었다.
없었다.
공짜도 아니었다.

그 안에 있는 것은
보이지 않는 말
사라지고 없는 말이었다.

글씨로 쓸 것을
받아서 눌러 적어 넣을 것을
그러지 않은 것은 글씨도 안 남는 말.

약속은 비어서 공간을 울리는
우렁우렁한 환상적인 소리를 냈다.
공짜인 척했지만 바가지였다.

처음부터 빈 껍데기로 약속은 왔다.
동굴 같은 입속에서 나와
끝도 없는 동굴 속으로 숨어 버리려고 왔다.

약속은 세상에서 기억 속으로 숨었다.

캄캄한 그 사람의 속으로 갔다.
빈 약속은 처절하게 비싼 말.

그 안에는 야욕
그것이었다.
넘어가서 무방비가 되게 하는 힘
내게 주는 가장 부드러운 칼
개미가 설탕물에 빠진 꼴이 됐다.

55. 또 기다리라고 했다.

너는 기다리라고 그랬다.
절망이라 생각할 틈 없이
단단한 믿음이 기다리고 있었다.

또 기다리라고 했다.
다시 기다릴 수 있을 것이라 말한
그 말이 찌르는 칼이 되어 돌아올 줄 모를 때

기다리지 말라고 그러지
그러지, 그랬으면 기다림이
너를 향해 쏘는 화살의 절망은 아니었을 걸

기다리라는 것은 나도 모른다는
약속이 아니라 절망이었는데
내 절망은 왜 말하지 못했을까.

또 기다리라는 그것은
거짓 위에 거짓인 것을
믿음 위에 믿음을 놓아서 기다린
내가 미워졌다.

기다리라고 그랬는데
그것이 왜 그렇게 됐나.
절망은 아니었는데 절망이 됐다.

사람의 약속은 절망을 낳고
가버리는 일이 세상의 일이라
믿음이 미워서 울 수밖에 또 무엇을 할까.

56. 네가 버리고 간 말들

너는 네 말의 약속도 버리고
네 믿음도 내게로 던지고
흔적 없이 가버렸지만

그런 사람의 말을 믿었던 때
바보라고 생각할 수는 없었다.
너만은 안 그럴 것이란 믿음
그것은 어디서 왔을까.

세상은 가장 속이지 않을 것 같고
정직이 얼굴인 것 같은 사람에게
배신을 당하는 일인데 그랬다.

내가 내 믿음에 속은 것이지.
사람이란 원래 너와 같은데
말이라는 것은 다 그러고 가는 것인데
네가 버리고 간 네 말들이 내게 남았다.

그 말들이 말하지
진실처럼 살아서 있고
언젠가는 네가 지키러 올 것같이 말하지.

너는 아니지만 내게 남겨진
너의 말들은 진짜처럼 있다.
지독히 미련스러운 나를 본 후
너로 인한 상처의 수술 자국을 만나서야
너를 다시 기억에서 지우려고 했다.

57. 너만 안 만났으면

걸어가는 길에서 돌을 만났어도
발부리가 찍혔어도 괜찮았는데
인생의 길에서 너를 만난 것이
통째로 넘어지는 일이 되었다.

차라리 가다가 돌을 만나고 또 만나고
그랬으면 나았을 것을
왜 하필 사람이라는 너를 만난 걸까.
뿌리까지 뽑혀질 너를 만났을까.

시간 위를 걸어가야 하는
험난한 길에서 돌은 괜찮았다.
피 흘리며 부러졌어도 나을 수 있었다.
너만 안 만났으면 됐었는데

어느 만큼 가다가 너를 만난 것이
금이라고 생각한 네가 칼인 것을 안
그때는 벌써 쓰러졌을 때
낫지 않을 병에 걸려 버렸던 때

걸어가는 길에서 뱀을 만났어도

잠깐 놀라고 다시 갈 수 있었고
곰을 만났어도 피해 갈 수 있었을 텐데
호랑이보다 더 무서운 사람을 만난 게
인생이 멸망당하게 되는 일이었다.

차라리 가다가 너를 안 만났으면
너만 아니고 다 만났으면
아마 지금 내 인생은 괜찮을까.
이보다는 나은 나로 있을 수 있었을까.

58. 내 마음은 배신을 꿈꿨다.

사랑한다는 그 말을
너는 지키려고 했지만
너는 네 마음을 몰랐다.

너는 그러려고 했지만
너와 네 마음은 또 다른 인격체로
그게 너인 것을 너는 몰랐다.

너는 내게 진실을 말했지만
네 마음은 배신을 꿈꾸고 있었던
그날의 그 시간 우리 둘은 속았던 것.

네가 나를 배신한 게 아니라
네 마음이 나에게 그랬다.
그렇게 내 마음이 이르기까지
절망의 끝 죽음 거의 다 가서
네 마음에게 쫓기던 마법에서 풀려났다.

너는 진실로 나를 사랑하였다고
그러나 네 마음이 거짓말을 했다고
믿고서 너를 보니, 생각 속에서 너는

안 미워져 웃고 있었다.

속이고 떠난 마음은 아직
너와 함께 있다는 것.
그래서 내 마음은 너와 같이
나란히 길을 갈 수는 없다고 한다.

사랑한다고 할 때에 너는
그 말을 지킬 수 없다는 네 능력을 몰랐다.
네 마음이 속이고 있었던 너를 몰랐었다.

59. 너만 떠나지 않았다면

끝까지 버티고 싶었다.
너만 떠나지 않았다면
그럴 수 있을 거라고 믿었다.

그러나 너는 말 없이 가버리고
버틸 이유가 없어졌기에
더 큰 절망에게 물어뜯기고 있는 나를
내가 보아야 하는 아픔을 겪게 되었다.

끝까지 버티게 해 주지 그랬어.
너만 안 갔으면 됐는데
그러지 않은 네가 원망이 되더라.

그러나 너는 가고 없었지
버틸 의미가 없어진 자리에서
나만 있다는 것을 알고 나니
아픔보다 더 진한 울컥하는 눈물이 왔었다.

끝까지 버틸 수 있을 거라는
믿음이 내 안에 섰을 때 나는
전쟁에 나가는 용사와 같았는데

가버린 네 뒤에서 용사는
조용히 갑옷과 무기를 버리고 있더라.

내가 버티는 이유가
내가 되지 못하고 있었다.
너 때문에 죽은 자처럼 절망한
한 존재의 미약함만 남더라.
원망하지 않고 버티리라 해도
눈물만 나는 날이 오래도록 가고 있더라.

60. 나를 위한 후회

나의 후회가 저 해 뜨는 끝에서
해 지는 끝까지 가서 다시 돌아오기까지
너는 안 돌아왔다.

그럴 줄 알지 못한 것은 아니지만
나를 위한 후회인 줄 모르고
너를 기다리고 있는 어리석음이
하늘에서 지하 지옥까지 갔다 온다.

눈을 떠서 보면 없는 네가
내 기억 안에 있고
후회는 해가 지고 뜨는 품에서 자며
안 돌아오는 너를 묻는다.

내 후회가 너에게 전해질 때
그렇게 할 것을, 그럴 것을
왜 나는 안 그랬을까, 그러는 날이
철천지원수가 되어 내일로 내일로
날마다 데려다 놓고 놓고 그러고 있다.

저 해가 뜨지 않는 끝에서

저 해가 지지 않는 끝까지 가서
다시 너를 돌아오게 할 수 있다면
너는 돌아와 네게 보였을 것인데
못하는 일이라서 후회만 하는 내가 된다.

눈을 떠서 보면 너는 없고
기억 안에서 너는 말하고 있는 것이
큰 고통이 될 줄 몰랐다는 게 변명이 되어 죽는다.

61. 네 자리에 하나님이 오셨다.

너에게 꽂혀서
기대를 걸었기도 했고
배신으로 널브러졌던 한때

그래도 비뚤어지지 않고
똑바로 서 있을 수 있었던 것은
예수님을 바라보는 심장이 있어서 그랬다.

뻥 뚫린 구멍
네가 스스로 뽑혀서 나간 땅
더러운 부스러기가 떨어져 흩어진 곳으로
예수님은 마다하지 않고 오셨지.

기대를 꺾어서
아무도 가지 않는 길바닥에 버리고 간
네 뒤에 온 존재는 하나님이셨다.

종이 떠나고 주인이 온 것.
악한 종이 버린 것을 주인이 주워서 씻고
자기 품에 안고 걸으셨지.

너를 보고 뛰었던 심장이
그 품에서 뛰었고
약속을 믿고 기대를 걸으며
영원히 함께하기로 했던 날들

치유되는 시간은 길었지만
완전한 것이었다.
더 이상 덧나지 않는 상처가
되어가고 있는 중인 나.

62. 네 속에는 내가 없었다.

너를 향해서 걸었지.
마음속에서 그랬지.
너는 없었다.

허탈하게 돌아서는 나를
내 속에서 내가 보면서
걸었다. 하염없이

그렇구나,
나를 기다리지 않았어
내 마음에만 네가 있고
네 속에는 내가 없었다는 것을 안다.

슬픈 눈물이 신발 위에 떨어진 것을
보는 눈물 가득 채워진 눈
더 어떻게 슬플 수 있겠어.

마음 한쪽의 벽이 무너지고
거기로 불어오는 북풍
그 바람을 다 맞으며
온몸과 혼이 파랗게 멍이 들었다.

너를 향해서 걸었던 방에서
일어서지도 못하고 누운 채
서러운 잠이 스르르 눈을 감기려
왔다 갔다 하고 있었다.

그만 생각해도
지금도 넘친다고 하는 신호를 보내고
나는 잠과 함께 너를 놓기로 했다.

63. 가혹한 사랑이어라.

사랑이어라.
가혹한 사랑이어라.
버려진 사랑이어라.

사랑은 갔으나
사랑은 여기 있어 버려졌다 한다.
극진하던 것이 돌풍에 더러운 것들을
내게 다 버렸네.

오물을 뒤집어쓰고
가혹한 사랑이어라, 사랑이어라.
속고 버려진 사랑이어라, 운다.

그래도 사랑이었다고
추억을 말할 때가 오기까지
참는 이마가 철판이 될 때까지
배신감에 떨며 아파지기만 하겠지.

사랑은 갔다.
이쪽은 쳐다보는 것조차 싫다 하고
오물로 나를 덮어 놓고서

다른 사람도 보지 말라고
냄새 나는 더러운 쓰레기로
덮어씌워 놓고는 빠져나갔다.

죄인처럼 숨어서
더러운 것들을 떼어내는 시간
그 사랑도 무덤에 묻고 나오는
씻어 내는 죽음 같은 나만 남겨진다.

글을 마치면서

이 책을 선택하여 주신 독자 여러분에게 먼저 감사드립니다. 이 글을 읽으시고 혹시 사람이 떠난 자리에서 아파하며 배신감을 느끼고 계신다면 도움이 되었으면 좋겠습니다. 그리고 다시 털고 일어나서 더 자신감 있게 새로운 꿈을 꾸며 잘되는 인생이 되었으면 합니다. 하나님의 위로와 치유의 손이 여러분의 모든 일에 함께하시기를 소망합니다.

저자 문영순